Welcome to our HappyStoryGarden!

Используйте силу воображения!

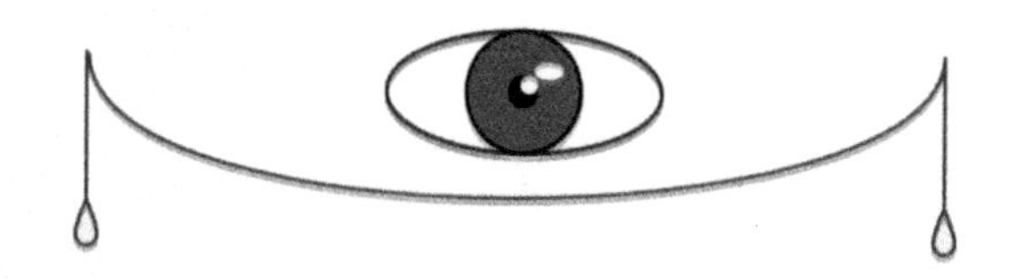

Зинаида Кирко

МИР СНОВ

„В жизни, моя дорогая, всё как во сне, - сказал капитан, резко поворачивая руль, - а во сне всё как в жизни - за темной полосой неизбежно следует светлая!

И ты не успеешь и глазом моргнуть, как мир перевернется с ног на голову или с головы на ноги. „

Глава 1

День когда всё это началось

Жизнь детей Глэдис, Питера и Майи была, можно сказать, идеальной, пока однажды не изменилась до неузнаваемости.

В тот день, когда всё это началось, они, как и всегда, проснулись в их прекрасном огромном доме на Розовой улице. Все три этажа его были сделаны из белых кирпичей. Когда зимой шел снег дом становился будто бы невидимым. Но не для всех.

- Смотри, - Глэдис указала в сторону сада, - там кто-то прячется!

Они с Питером сидели на чердаке и считали прохожих от нечего делать.

- Никого там нет, - приглядевшись ответил мальчик.

Внизу раздался детский крик.

- Опять она плачет, - пробурчал Питер.

Ему было восемь лет. Глэдис совсем недавно исполнилось семь, а их сестренке маленькой Майе был всего годик. Питер был самым старшим ребенком в семье. Папа постоянно повторял, что он должен был заботиться о своих сестрах. А ему это совсем не нравилось.

- Никого там нет, - повторил Питер.

- Говорю же, есть! - настаивала Глэдис.

Может ей и показалась, но там, среди кустов, прятался маленький человечек. Она вспомнила, как мама постоянно рассказывала ей про гномов, которые прячутся в садах.

- Это гном, - твёрдо заявила она и тут же прибавила его к счёту.

- Ты не можешь считать гномов, - возмутился Питер, - они не существуют!

- Нет, существуют!

- Не существуют! Врунья!

И дети начали ругаться и драться, как это было часто и раньше. Они кричали так громко, что к ним поднялась мама.

- Что происходит? - спросила она, качая на руках маленькую Майю.

- Он назвал меня вруньей, - пожаловалась Глэдис.

- Да еще и ябеда, - добавил Питер и показал сестре язык.

- Из-за чего вы спорите на этот раз? - вздохнула мама.

- Он сказал, что гномов нет, - начиная всхлипывать сказала Глэдис.

- Конечно есть! Кроме гномов, в мире много разных существ. Вы их не видите, но если они подслушивают, как вы ругаетесь, то могут использовать свою волшебную силу, чтобы наказать вас.

- И как они это сделают? - спросил Питер.

- Они смогут воплотить все ваши мечты в реальность. Как хорошие, так и плохие. Поэтому вам нужно быть осторожными.

Она поцеловала детей и ушла.

Питер и Глэдис с обидой переглянулись. До вечера они не разговаривали друг с другом. Но сразу после ужина у них случилась новая ссора. Питер нашел паука и пугал сначала Глэдис, а затем и Майю. Обе девочки громко кричали, пока папа не выбросил паука на улицу.

- Ты разве не слышал, что сказала мама? - спросила Глэдис, - волшебные существа накажут тебя!

- Они исполнят мои желания, - сказал Питер, - а это как раз то, что мне нужно!

Он скорчил рожу и убежал в свою комнату.

Когда дети уснули, на Розовой улице всё было по-прежнему. Но когда наступила самая глубокая ночь из-за кустов, прямо там, куда днём указывала Глэдис, вышел маленький человечек, а за ним еще один. Ростом они были не выше колена любого из детей. Это были совсем не гномы, а эрлины из волшебного мира снов.

- Ты уверен, что это правильный дом? - спросил один из них.

- О да, - ответил второй, - звездочёт указывает именно на него.

Оба человечка поднялись в воздух и подлетели к окну детской спальни. А затем влетели внутрь и зависли в воздухе.

- Это те самые дети?

- Да-да, именно они, - сказал его друг.

Тогда первый достал мешочек и посыпал детей искрящейся пылью. Питер чихнул, Глэдис заворочалась во сне, а Майя проснулась и весело смеясь потянула ручки к маленьким человечкам. Но они уже исчезли.

На следующее утро дети, как и всегда, проснулись, умылись и спустились к завтраку. Однако, вместо приятного запаха гренок и жареной яичницы, а также маминой улыбки и папиного приветствия, их встретил белый как полотно шофер родителей. Он потребовал, чтобы они как можно скорее садились в машину.

Детям ничего не оставалось, как последовать за ним. А когда они выезжали, то через окно увидели, как их прекрасный городок разрушался прямо на глазах. Стены домов вокруг рушились, крыши падали, а улочки меняли свое направление.

Конечно, Майе был всего годик, и она вряд ли что-либо понимала, но Питер и Глэдис ужасно расстроились. Их и раньше увозили из дома. Например, к бабушке на лето или к тетушке Эльзе на выходные. Но в тех случаях, вокруг не было беспорядка, который они видели теперь.

- Что происходит? - недовольно спросил Питер, который понимал, что теперь ему не удастся поиграть в его любимые видеоигры.

- Наступили тяжелые времена, - ответил шофер дрожащим голосом, - в мире происходят необъяснимые разрушения! Ваши родители вернутся как только смогут. А я должен отвести вас в безопасное место.

Глэдис вздрогнула, видя, как падает стена дома, мимо которого они проезжали. Разрушения были повсюду. Уродливые развалины некогда прекрасных строений, теперь виднелись везде, куда ни посмотри. А столпы клубящейся пыли поднимались до небес.

Глэдис закрыла окно и повернулась к Питеру.

- Ну же, хватит думать только о себе, - сказала она, - неужели тебя не заботит, что произошло с нашими родителями?

- Меня заботит только то, что теперь я не смогу играть и гулять, как это было раньше! - ответил мальчик так громко, что Глэдис вздрогнула, а маленькая Майа заплакала.

- Видишь, что ты наделал, - успокаивая её, сказала Глэдис, - не плачь, скоро родители вернуться за нами.

Машина сделала крутой поворот, увиливая от падающих деревьев. И они чуть не упали, еле удержавшись друг за дружку.

Так продолжалось довольно долго, пока они не выехали за город. А потом мир погрузился в темноту. Дети стали клевать носом и вскоре уснули.

Очнулись они только когда шофер открыл дверь и взволнованным голосом громко позвал их по именам. Когда они открыли глаза на них повеяло холодом и сыростью, а огромные капли дождя забарабанили по крыше салона.

- Ну же, скорее выходите, - потребовал он, - здесь вы будете в безопасности.

Глэдис взяла на руки Майю и последовала за Питером, недовольно вылезшим из машины.

Перед ними возникло огромное темное здание с перекошенными башенками и лесенками, которые, вероятно, достраивались и перестраивались множество раз.

А по длинной кривой дорожке приближался сгорбленный старик с масляной лампой в руках.

- Аааа, новоприбывшие, - сказал он, расплывшись в кривозубой улыбке, от которой дети оцепенели, - добро пожаловать в Санфилд, приют для особо непослушных детей!

И он захохотал так громко, что заглушил шум дождя.

- Приют?! - возмутился Питер, - Почему нас не отвезут к тетушке или... ну хоть к кому-нибудь еще! У нас же много родственников!

- Потому что наступили великие разрушения, - ответил шофер, - и нигде не позаботятся о вас лучше, чем здесь в Санфилде. Так решили ваши родители.

И он уехал, оставив их наедине со стариком, который все еще хохоча, побрел по направлению ко входу. Детям ничего не оставалось, как последовать за ним.

Им казалось, что уж хуже этого ничего не будет. Но, когда они подошли поближе, дверь отворилась и на пороге появилась грозная тучная женщина. Она тут же строго посмотрела на них.

- Барго, кто эти неопрятные, неумытые и непричесанные дети? - спросила она.

- Очередные сиротки, - ответил, кряхтя старик и погасил лампу, - много их теперь будет!

- Может быть хоть кто-нибудь объяснит нам, что здесь происходит? - не выдержав воскликнул Питер.

Брови женщины изогнулись и слились в букву «V».

- Как ты смеешь кричать в этом заведении?! - зашипела на него она, - когда все остальные давно уже спят!

- Тише, Мэрпэл, - успокаивал её старик, - дети всего лишь хотят знать, что произошло с их миром, - он повернулся к ним, - и я скажу им!

Барго вытянул свой крючковатый палец, который закручивался спиралью и ткнул им мальчика в плечо.

- А случилось то, что в мире начались ужасные вещи! Весь наш мир теперь разрушается с каждым днем и ничего тут поделать невозможно. Только здесь в Санфилде вы находитесь в безопасности, поэтому вам ничего не остается, как смириться со своей судьбой и выполнять требования тетушки Мэрпэл!

Маленькая Майя, которая всё поняла, снова заплакала, а Глэдис принялась её успокаивать.

- Ну же, - сказала женщина, - марш мыться и спать! А не то всю ночь будете мыть посуду на кухне!

Мыться им пришлось в холодной ванне в ледяной воде куском ужасно пахнущего мыла. Но это было не так страшно, как огромный спальный зал, с проседающими кроватями, под которыми бегали и шуршали крысы. Только их головы коснулись подушек, как они услышали непрекращающийся шорох и им стало так страшно, как никогда в жизни. Но вскоре сон одолел их, и они уснули.

Однако посреди ночи Глэдис услышала странный шум. Она поднялась, села на постели и огляделась. Все спали. Но Майи рядом не было.

- Майя, - позвала Глэдис.

Она увидела, как девочка идет к ней, а за ней летит прозрачный дух с огромными печальными глазами.

- Кто ты? - спросила Глэдис и взяла Майю на руки.

- Меня зовут Тобо. Я хранитель Санфилда.

Глэдис оглянулась вокруг, чтобы посмотреть видит ли его кто-то еще, но остальные дети либо спали, либо ворочались во сне. Но самое странное было то, что к ноге призрака была прикована цепь, которая тянулась в потолок и исчезала в нем. Глэдис протянула руку, пытаясь дотянуться до Тобо, но он тут же растворился в воздухе и возник вновь в стороне.

- Ты не сможешь дотронуться до меня, - сказал он, - потому что я не существую. Я из другого мира, мира снов.

- Ты мне снишься?

- Возможно, а возможно и нет, - Тобо сделал кувырок в воздухе и улыбнулся.

- Ты можешь помочь мне разорвать эту цепь, - сказал он, указывая на неё, - чтобы я смог вернуться в свой мир?

- Но как?

- Используя свое воображение - представь, что она ломается.

Глэдис попробовала, но у неё не получилось.

- Не могу, - ответила она.

- Ничего, - грустно ответил дух и вздохнул, - ни у кого не получается.

- А почему мы здесь? - спросила Глэдис, - почему мы и все эти дети попали сюда?

- Мир начал разрушаться, потому что люди стали слишком часто ссориться. Но ваши родители позаботились о вас, - ответил Тобо, - они знали, что Санфилд заколдованное место. Разрушения никогда не коснутся его, - он понизил голос до шепота, - потому что Санфилд это дверь между мирами. Миром яви и миром снов.

Глэдис не понимала, что это значило.

- А возможно ли остановить разрушения?

- Конечно, для этого нужно овладеть своим воображением в совершенстве. Однако здесь это еще не удавалось никому.

Тобо мерцал, то исчезая, то появляясь снова.

- Помоги нам, - попросила Глэдис, - мы должны остановить разрушения и вернуться к родителям.

Призрак грустно улыбнулся.

- Изменить что-либо вы сможете только проникнув в Мир Снов. Дверь в него открывается один раз в самую длинную ночь в году, которая наступит уже завтра. Но попав туда, вы подвергаете себя огромной опасности и, возможно, уже никогда не вернетесь обратно!

- Всё равно, - ответила Глэдис, - мы не можем сидеть без дела! Как нам найти эту дверь?

- О, - ответил Тобо, - это вам вряд ли удастся. Но если хотите попробовать, то отправляйтесь по следам призраков к Вечному Дереву на Кривом холме. Но добраться туда вам нужно не позднее полуночи, а вернуться обратно не позднее первой зари. Если не успеете, то превратитесь в сны, как и все, кто пытался сделать это до вас! А если вернетесь и овладеете своим воображением в совершенстве, бедный Тобо наконец-то обретет свободу!

С этими словами он исчез и вокруг снова воцарилась тишина. Глэдис потребовалось много времени, чтобы уснуть, а когда ей это удалось, ей снились очень странные сны, о мире, который уже никогда не будет прежним.

Глава 2

Следы Призраков

Утром детей заставили мыться и причесываться так долго, пока каждая прядь их волос не легла идеально. Глэдис посмотрела на себя в зеркало. На выглаженном черном платье не было ни единой складки, а ее длинные черные локоны были заплетены в тугую косу. Сначала она расстроилась, но когда обернулась, то увидела, что так выглядели все девочки в Санфилде. Даже маленькую Майю одели и подстригли как всех остальных. А когда она увидела Питера, то удивилась еще больше. Таким опрятным и красивым он еще не был никогда. Но мальчик был зол и не обратил на сестру никакого внимания.

Когда они вошли в столовую, то увидели, что все вокруг были такими же грустными и расстроенными как они.

- Проклятое место, - выругался мальчик, - сегодня же вечером я должен сбежать отсюда!

- Но куда мы пойдем? - растерялась Глэдис.

- Мы? Кто сказал мы? Я пойду один!

- Нет, не пойдешь! Пока родителей нет, я здесь главная и решать буду я!

- Что?! Ты главная? Это я главный! Я старше!

- Ну и что!

Майя переводила удивленный взгляд то на одного, то на другого.

- Если ты такой главный, то должен позаботиться о нас!

- И я сделаю это!

И пока Питер осознавал, что сказал, к ним подошли воспитатели и швырнули тарелки с едой. Это была жидкая безвкусная кашица, которую есть совсем не хотелось.

- Значит, мы убежим вместе? - спросила Глэдис, ковыряясь ложкой в тарелке.

- Придется, - буркнул Питер.

- У меня есть план, - и Глэдис рассказала им всё, что произошло с ней ночью.

- Следы призраков? - усмехнулся Питер, - тебе это приснилось!

- А что, если не приснилось? Что если мы сможем найти их, пробраться в Мир Снов и остановить разрушения?

Питер задумался. Ведь бежать из Санфилда было некуда. Повсюду на самом деле были разрушения и единственным правильным решением было попробовать остановить их.

- Хорошо, - сказал он, - будем искать следы призраков, - но, если не найдем, я завтра же убегу отсюда сам, без вас!

После завтрака они отправились втроем бродить по дому. Они заглядывали в каждый угол и в каждую комнату, обошли весь двор и сад и даже побывали на крыше Санфилда. Но прошел целый день, а они так ничего и не нашли.

Питер злился на сестру, и ужинали они молча.

- Я больше никогда не буду верить в твои выдумки, - сказал он наконец.

- Я ничего не выдумывала, - запротестовала Глэдис, - если не хочешь идти с нами, я буду продолжать поиски сама.

- Вот и прекрасно, а я тем временем придумаю план как сбежать отсюда в одиночку!

Они продолжали спорить и ругаться, когда внезапно услышали удивленный крик Майи. Оба тут же повернулись к ней. Девочка радостно пищала и указывала тонким пальчиком на свою тарелку. А там, на самом дне, виднелся небольшой, ни на что не похожий, след.

- След призрака! - воскликнул Питер.

Он мерцал подобно тому, как светился Тобо прошлой ночью, и у детей не оставалось сомнений, что они нашли то, что искали.

- А ты говорил, что это выдумки! - обиделась Глэдис.

Но Питер уже осматривал пол и где-то вдалеке заметил новый след.

- Они повсюду!

Глэдис взяла Майю на руки, и они побежали за братом.

Следов было много. Они то собирались вместе, то расходились, а иногда вели на потолок и исчезали в углах.

- Что это вы тут делаете? Вам давно уже пора спать! - грозно сказала внезапно появившаяся Мэрпэл и уперлась руками в боки, не давая детям прохода.

- Мы… мы…, - не знала, что придумать Глэдис.

- Мы потерялись и не знаем, где спальный зал, - ответил Питер.

- Неужели?! А может быть вы просто шатаетесь тут без дела, потому что вы маленькие непослушные дети?!

Толстуха угрожающе двинулась на него, но Питер не дрогнул и даже не отвел взгляда в сторону.

- Марш в кровать! И чтобы я вас тут не видела! - закричала Мэрпэл.

Детям ничего не оставалось, как пойти в сторону спального зала. Но только они сделали несколько шагов, как Майя снова запищала, указывая на новую вереницу следов.

- Они ведут в подвал, - зашептала Глэдис.

Дети остановились у входа. Внизу было сыро и темно и лишь мерцание следов освещало им путь. Набравшись смелости, Питер сделал первый шаг и девочки последовали за ним.

Так они шли довольно долго, разглядывая переплетения следов на полу, стенах и потолке. Казалось, толпы призраков, которых они не видели, шли куда-то собравшись все вместе.

Дети подошли к небольшому люку в полу, на котором было множество следов, и остановились. Питер открыл его и собрался уже забраться внутрь, но Майе стало страшно и она расплакалась.

- Давай подождем, - сказала Глэдис, успокаивая малютку.

- Ждать? Когда сюда придет толстуха Мэрпэл? Вот уж нет! Если хотите, можете оставаться здесь, а я пойду один.

С этими словами, Питер исчез в темноте, а Глэдис осталась одна с плачущей Майей на руках. Им обоим было страшно, но повернуть назад они не могли.

Внезапно вдалеке загорелся свет. Глэдис обернулась. В темноте она разглядела старика Барго, приближающегося к ним. Девочкам ничего не оставалось, как пролезть в люк и захлопнуть его.

Едва они сделали первый шаг, как пол провалился. Они заскользили вниз по темному тоннелю, усыпанному мерцающими следами.

Прошло совсем немного времени, и они упали на землю. Майа смеялась и пищала от радости, но Глэдис было не до смеха. Она огляделась по сторонам. Несмотря на то, что они падали совсем недолго и двигались вниз, мир будто перевернулся вверх тормашками. Они оказались на холме, а вдалеке виднелось кривое здание Санфилда.

- Питер! - воскликнула Глэдис, оглядываясь вокруг, но его нигде не было.

- Аааа, ты ищешь вредного мальчика, - услышала она голос позади себя и обернулась.

Перед ней было огромное дерево, такое мощное и древнее, каких девочка никогда не видела в своей жизни. В его толстом стволе виднелось морщинистое лицо, с огромными мудрыми глазами. Дерево крутило извилистыми ветками и хитро улыбалось.

- Если ты ищешь этого злюку, то скорее всего никогда его больше не найдешь! - засмеялось оно.

- Питер наш брат, - воскликнула Глэдис, а Майя грозно пискнула - и мы должны найти его во что бы то ни стало.

- Хм... сказало дерево, - тогда уже слишком поздно, ведь он исчез во снах и найти его будет всё равно, что отыскать солнце ночью.

Глэдис снова огляделась вокруг.

- Кажется я поняла, - сказала она, глядя на Санфилд и поля внизу, - ведь мы на Кривом Холме, а ты... ты Вечное Дерево!

Дерево широко улыбнулось и поклонилось, скрепя густыми ветвями, из которых с криками вылетали пестрые птицы.

- Я стою здесь целую вечность и меня редко навещают гости. Все они приходят сюда со своими корыстными целями и требуют от меня невозможного. Вот вы, например, зачем вы сюда пришли?

- Мы следовали по следам призраков, чтобы попасть в мир снов и остановить разрушения, но прежде нам нужно отыскать нашего брата.

- Что ж, хм… хм… для этого вы, все трое, должны отдать мне самое дорогое, что у вас есть.

Но Глэдис не знала, что бы это могло быть. Её карманы были пусты, а маленькая Майя была слишком мала, чтобы обладать чем-либо.

- Забирай что хочешь, - сказала девочка, - только помоги нам.

- Хм, - снова улыбнулось дерево, - значит, так тому и быть.

И, подняв вверх густые ветви, засмеялось ужасающим смехом. В следующее мгновение тысячи призраков двинулись к ним с разных сторон, затмив собой всё вокруг. Глэдис прижала к себе Майю и вместе они закружились в вихре, который унес их в неизвестном направлении.

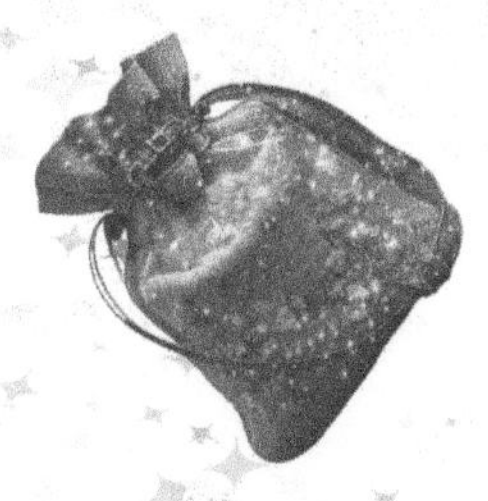

Глава 3

Город Снов

Когда Глэдис открыла глаза, она обнаружила, что вокруг было свежо и солнечно. Она находилась в парке, вокруг которого были высокие горы, а вдалеке виднелся город.

Она не сразу поняла, что случилось. Однако тут же заметила с собой рядом двух старых людей. Один был настолько древним, что его борода три раза обвивала скамейку, на которой он сидел. А старушка с морщинистым лицом сидела рядом на земле и играла ею.

- Майя! - позвала Глэдис.

К её удивлению, старушка улыбнулась и пошла к ней.

Глэдис попятилась назад и упала. Она увидела свои ноги и ужаснулась. Они были старыми и морщинистыми.

- Питер! - позвала девочка.

Старик поднял на неё хмурый взгляд.

- Это ты, Глэдис?

Он встал и шаркающей походкой направился к ней.

- Я так и думал, что это ты во всем виновата!

- Я?!

- Да, это ты отдала Дереву годы нашей жизни и теперь мы с минуты на минуту умрем от старости!

- Но я не знала, - огорчилась девочка, - кроме того, я должна была найти тебя.

- Найти меня? Будто я сам бы не справился!

- Конечно нет, - внезапно услышали они чей-то голос, - ты бы растворился во снах и, если бы не девочка, никогда бы не вернулся обратно!

Старики повернулись. Перед ними был маленький человечек с тростью. Он был невысокого роста с огромной широкой улыбкой и веселыми мудрыми глазами.

- Кто ты? - гаркнул на него Питер.

- Меня зовут Джоло, - ответил человечек, - я – эрлин, собиратель снов.

- Собиратель снов? - удивилась Глэдис, - неужели мы всё-таки попали в мир снов?

- Конечно попали! Однако выбраться, да еще и до рассвета вам вряд ли удастся, тем более, что вы ссоритесь, как совсем не подобает брату и сестре.

Старики переглянулись.

- Помоги нам, - взмолилась Глэдис, - мы пришли, чтобы остановить разрушения. И без твоей помощи нам не справится!

Джоло засмеялся, схватившись за живот.

- Остановить разрушения! - повторил он, - это еще не удавалось никому! Однако, до рассвета вы гости этого мира, поэтому я помогу вам.

И, махнув им рукой, он отправился в город, видневшийся впереди. А трое детей-стариков, последовали за ним.

Они шли медленно, спотыкаясь и поддерживая друг дружку. А эрлин, улыбаясь, шел вперед и напевал песенку себе под нос.

Вскоре они приблизились к городку с маленькими разноцветными домиками, крыши которых закручивались вверх причудливыми спиралями, а стены были выше одна другой. Двери и окна были косыми и кривыми, ходили ходуном и меняли свою форму.

- Что за чудный город! - удивилась Глэдис.

- Ничего в нем чудного нет, - пробурчал Питер.

- Это Мечтариум, город снов, в котором мы собираем их по частям, - с гордостью сказал Джоло.

Он провел их сквозь одну из кривых дверок в красный домик. Старикам пришлось сильно согнуться, чтобы пролезть в него. Внутри было множество эрлинов, которые приветливо помахали им руками.

- Ночью мы, эрлины, навещаем людей и собираем их чувства и эмоции, а затем приносим сюда и сортируем для создания новых снов.

Старики увидели, что перед ними тянулся длинный конвейер, по которому двигались разные субстанции.

- Страхи, счастье, испуги, радости, - показывал на них Джоло, - все они принадлежали кому-то и скоро станут чьими-то снами, - а здесь, - сказал он и провел их сквозь узкую дверь в следующий домик, мы тестируем фрагменты снов.

Он взял маленький пузырек из множества таких же сосудов, которые стояли повсюду и плеснул им в воздух. В следующее мгновение дети-старики почувствовали морской воздух и обнаружили себя на пляже, строящими замки из песка. Однако видение тут же исчезло.

- Если вы такие всемогущие, - сказал Питер, - создайте сон, в котором мы снова молодые с нашими родителями в мире, в котором нет разрушений и оставьте нас там навсегда.

Эрлины вокруг засмеялись и захихикали. Джоло же повернулся к старику и его лицо стало печальным.

- Увы, - сказал он, - сны эфемерны и недолговечны. Они исчезают, стоит им только появиться. И создаем их не мы. Это делает Мастер Снов Иллюзиус. Однако я могу вам помочь.

- Как? - удивилась Глэдис.

- Я могу забрать ваш опыт долгих лет, чтобы создать из него новые фрагменты снов, а вы снова станете детьми.

С этими словами он дотронулся до них своей тросточкой, вытягивая из них разноцветные нити. Не прошло и минуты, как старики снова превратились в детей.

Глэдис и Питер не могли нарадоваться, глядя друг на друга, а маленькая Майя запищала, требуя, чтобы её взяли на руки.

Внезапно раздался громкий ужасающий гул и все эрлины высыпали наружу. Домики тут же заходили ходуном. Ставни закрылись. Со всех сторон подул ледяной ветер. Тучи сгустились на темном небе, а солнце, которое до этого светило ярко, пропало будто его и не было вовсе.

- Прячьтесь, - закричал Джоло.

И они скрылись в подвале одного из домиков. Дети прильнули к маленькому окошку, глядя на надвигающуюся бурю. От страха по их коже побежали мурашки. Из темной тучи вылетало множество зловещих призраков. Они кружили над городом и залетали внутрь каждого домика.

- Кто это? - спросил Питер.

- Это самые злые из всех духов известных миру, - прошептал Джоло, - они отбирают все найденные нами плохие эмоции и страхи, чтобы создавать страшнейшие из снов, которые будут мучить и сводить с ума людей!

Майя расплакалась. Джоло захлопнул окошко и закрыл его деревянной дощечкой.

- Берегитесь, дети, чтобы они не нашли вас, иначе вы окажетесь в ужасах навечно!

Он сел за стол с мягкими креслами и налил в расписные чашки чай, а затем стукнул по ним своей волшебной тросточкой.

- Выпейте, это чай сладких мечтаний, он поможет вам успокоиться.

Дети тут же уселись и отведали напиток, от которого им стало так хорошо, что даже Питер расплылся в улыбке.

- Но почему эти духи нагоняют на людей ужасы, если сны создает Мастер Снов Иллюзиус? – спросила Глэдис.

- Всё не так просто, - ответил Джоло.

Он посмотрел на них так, будто не решался раскрыть им секрет, но затем передумал и стукнул тростью по столу.

- Ладно, я вижу, что вы пришли с великим намерением остановить разрушения, поэтому я расскажу вам то, что знаю.

И, устроившись в кресле поудобнее, он начал свой рассказ.

- Однажды… очень давно в Мире Снов находился огромный город с высокими величественными строениями, которые касались небес. Он назывался городом Высоких Людей, потому что там жили великие люди, каждый из которых был в пять, а то и в десять раз выше любого из вас. И люди эти были Снотворцами. Они создавали невероятные по красоте сны, в которых мог затеряться и забыться любой человек. Они овладели своим воображением настолько хорошо, что могли менять реальность так, как бы им того хотелось. И для них не было ничего невозможного.

Но однажды, по неизвестным причинам, эти люди… исчезли! Растворились в воздухе, оставив свой город, который ветшал и разрушался с каждым днем, пока от него не остались одни лишь руины. В то время откуда ни возьмись появился Корнелиус, великий последователь Снотворцев, который утверждал, что овладел их искусством. Однако это было не так. Он мог создавать только сны, но не менять реальность.

Долгие годы он создавал людям сны, пока его не настигла старость. Вот тогда-то он и взял в ученики мальчика Иллюзиуса. Не знаю, где он его нашел, но поговаривают, он был последним из Высоких Людей. Корнелиус обучил его всему, что знал. И всё было бы прекрасно, однако Корнелиуса мучило то, что он не мог менять реальность и, день за днем, он заставлял Илюзиуса проводить опыты со снами. Однажды… в результате такого опыта на свободу вырвался злой дух Мортус и захватил власть над всеми ужасами и страхами людей. Корнелиус умер от старости и горя, а молодой Иллюзиус так и не смог остановить появившееся в мире зло. Из-за этого люди в мире стали ссориться слишком часто. Поэтому наш мир стал разрушаться также, как и ваш, и никто не в силах этому помешать.

- Значит, во всем виноват Иллюзиус! - сказал Питер.

- Нет, виноват Мортус! - возразила Глэдис, - поэтому мы должны остановить его!

- Но что можете сделать вы трое детей? - развел руками Джоло.

Он открыл двери подвала и выбрался наружу. Небо снова было чистым и ясным. Солнце светило ярко, и от злых духов не осталось и следа.

- Если вы не боитесь, - сказал Джоло, - то отправляйтесь за дальний горизонт в город Высоких Людей. Там вы отыщите Иллюзиуса. А лучше возвращайтесь обратно домой, ведь рассвет наступит очень скоро и вы, так и не достигнув своей цели, превратитесь в сны.

С этими словами, он, напевая песенку, отправился обратно в город цветных кривых домиков и вскоре скрылся за одной из косых дверей.

Глава 4

Последний Снотворец

Дети шли вперед по дороге, когда Питер внезапно остановился.

- Рассвет приближается, - сказал он, - поэтому эрлин прав и нам нужно вернуться домой.

- Но ведь второго шанса у нас не будет, - возразила Глэдис, - кроме того, у нас еще есть время.

Майя протянула ручку в сторону мальчика и сказала что-то, чего он понять не мог.

- Ладно, - согласился он, - только вести вас буду я.

И он отправился вперед в поисках дальнего горизонта, а Глэдис и Майя последовали за ним. Но время шло. Одна дорога сменяла другую, а горизонт ближе не становился. Глэдис видела, как хмурится и злится Питер, но решила с ним не спорить.

- Смотрите, - внезапно воскликнул он, - это то, что нам нужно.

Впереди в воздух поднимались огромные воздушные шары. Они были самых разных цветов и размеров и, поблескивая на солнце, отправлялись за горизонт.

Когда дети приблизились, то увидели множество странных существ, которые загружали коробки и мешки в корзины, привязанные к земле.

Они были невысокими, крепкого телосложения, с шерстистыми руками и ногами, и длинными ушами. У них были огромные ясно-голубые глаза, которыми они все время смотрели в бинокли, выискивая что-то вдалеке.

Заметив детей существа тут же обступили их.

- Как интересно! Чудесно! Невероятно! - повторяли они.

- Кто вы? - наконец спросил один из них в красной шляпе.

- Я Питер, а это Глэдис и Майя, - ответил мальчик, - мы ищем Иллюзиуса, чтобы остановить Мортуса и разрушения в нашем мире. А вы кто?

- Остановить Мортуса?! Потрясающе! Удивительно! - восклицали существа.

- Я Вариус, - ответило существо в красной шляпе, - а это мои друзья Собиратели Идей. Мы путешествуем по хорошо забытым снам, чтобы находить идеи, которые помогут людям, а затем отправляем их Иллюзиусу, чтобы он внедрил их в новые сны.

- Как интересно! - воскликнула Глэдис, - а не могли бы вы взять нас с собой? Нам очень-очень нужно поговорить с Иллюзиусом.

Собиратели идей переглянулись и тут же закивали головами.

- Конечно, мы можем взять вас с собой, - ответил Вариус, - мы как раз отправляемся к Иллюзиусу, чтобы отвезти ему свежую партию идей!

И он пригласил детей на один из воздушных шаров. Он был самым большим и красивым из всех. Дети забрались в корзину, и он поднялся высоко в воздух, открывая вид на бескрайний и необъятный мир снов.

- Ух ты, - воскликнул Питер и повернулся к Вариусу, - я хочу остаться здесь и путешествовать по снам вместе с вами!

Но Вариус покачал головой, резко поворачивая руль в сторону.

- Увы, если вы не вернетесь домой до рассвета в вашем мире, то превратитесь в сны. Только Иллюзиус может помочь вам избежать этого.

Внезапно солнце скрылось за тучами и небо потемнело. Гром и молнии рассекали горизонт, который становился всё ближе.

- О нет! - воскликнул Вариус, - это призраки Мортуса! Они пришли, чтобы забрать лучшие из идей, которые мы нашли и использовать их в своих злых целях!

Дети с ужасом обнаружили, что к ним со всех сторон мчаться зловещие призраки. Вариус и другие собиратели идей отбивались от них как могли. Они достали серебряные сети и накидывали их на призраков, а затем посыпали серебряной пылью, от которой те растворялись и исчезали в воздухе. Однако, несмотря на все их старания, когда солнце снова выглянуло из-за тучи, Вариус обнаружил, что по крайней мере половина идей, которые он вез, исчезла.

- И так происходит каждый раз, - с грустью сказал он, - если бы только вы могли остановить Мортуса, тогда мир смог бы получить все идеи, какие мы находим.

Они плыли по воздуху, пересекая горизонт за горизонтом, пока не достигли самого дальнего из них.

- Что это? - спросила Глэдис, указывая вниз.

Перед ними были гротескные развалины огромных зданий. Их было огромное множество, и они достигали небес.

- Это Город Высоких Людей, - сказал Вариус, - именно здесь когда-то обитали великие Снотворцы.

Шар медленно опустился на землю и Вариус открыл перед детьми дверку.

- Мы прибыли, - сказал он, - дом Иллюзиуса находится вон на том холме.

Дети посмотрели туда, куда он указывал. Неподалеку на возвышении находился огромный дом с переплетенными башенками, лесенками, входами и выходами. Это было единственное целое строение во всей округе.

- Будьте осторожны, - предупредил их Вариус, - не поддавайтесь иллюзиям, когда войдете внутрь, иначе вы можете затеряться в них навсегда!

Питер тут же побежал по направлению к дому, а Глэдис поблагодарила Вариуса и последовала за ним.

- Было бы вежливо с твоей стороны сказать собирателям идей спасибо, - сказала она.

- Это ты должна сказать мне спасибо, за то, что я нас сюда привел! - гордо сказал Питер.

Глэдис вздохнула, но не ответила ничего. А Майя издала длинный разочарованный звук.

Когда они приблизились, то обнаружили, что вокруг дома был небольшой сад со множеством причудливых деревьев. Они открыли резную калитку и шагнули внутрь.

Как только они ступили на мощеную дорожку, к ним со всех сторон стали приближаться иллюзии. В одной из них были друзья, которые звали их поиграть, в другой - дом, в котором их ждали родители, а в третьей некто именовавший себя Иллюзиусом предлагал исполнить все их заветные мечты.

- Это он, - сказал Питер, - Иллюзиус, мы нашли его!

Но Глэдис удержала брата за руку.

- Это всего лишь иллюзии, - ответила она и потянула его назад.

Видения растворились, и дети отправились вперед ко входу в дом. Когда они приблизились, то увидели множество лестниц, переходящих одна в другую. Они долго бродили по ним, пока, наконец, отчаявшись, не сели на ступеньки.

- Что за дурацкий дом, - буркнул Питер, - в котором лестницы никуда не ведут!

Дети услышали тихое хихиканье.

- Эти лестницы живые! - воскликнула Глэдис, вставая - возможно тебе стоит сказать им «пожалуйста» и вежливо попросить их направить нас в нужном направлении.

- Вот уж не собираюсь я этого делать!

- Тогда это сделаю я!

Глэдис вежливо попросила лестницы направить её к Иллюзиусу. Ступеньки тут же выстроились в ряд, открывая вход в резные двери. Девочка шагнула вперед, но когда обернулась, то увидела, что Питера позади не было.

- Питер! - позвала она, - Питер! - но ответа не последовало.

Через мгновение она обнаружила, что они с Майей стоят на огромной площадке на самом верхнем этаже. Перед ними появился высокий человек в длинном зеленом костюме. У него были огромные черные глаза, полные печали. Он был вдвое выше любого из людей, очень бледный и худой. Из карманов торчало множество часов, которые он постоянно доставал и проверял, сверяя время. Глэдис также заметила, что часы были повсюду. Они тикали, звенели или просто стояли с замершими стрелками.

- А… гости, - сказал Иллюзиус, наконец заметив детей, - кажется вас было трое?

- Мой брат, Питер, исчез! - сказала Глэдис, - и я не знаю, где он.

- Увы, - ответил Снотворец, - даже я не знаю где он. Ведь невежливость заводит людей в самые неприятные места и ситуации.

Глэдис и Майя рассматривали часы как завороженные.

- Это время человеческих жизней, - пояснил он, - а вот и ваше.

Он указал на трое часов, стрелки которых приближались к надписи «рассвет», после которой не было ничего.

- Помоги нам, прошу тебя, - взмолилась Глэдис, - мы должны найти Питера, остановить разрушения в нашем мире во что бы то ни стало и вернуться домой до рассвета!

- О! Вас привели сюда великие цели, - усмехнулся Иллюзиус, - но, увы, я вам помочь не могу. Однако, я рад, что вы заглянули ко мне. Ведь я так одинок!

Он сел в кресло с ужасно печальным видом и стал смотреть на горизонт.

- Но ведь ты всемогущ, - сказала Глэдис, - ты создаешь сны для людей всего мира!

- Этого недостаточно! - сказал Иллюзиус.

Внезапно все часы разом зазвенели и Снотворец подскочил, как ужаленный.

- Пришло время создавать сны! - сказал он, - и раз уж вы пожаловали ко мне в гости, я покажу вам, как это делается!

С этими словами он поднял руки, и они с Майей и Глэдис оказались в городе Высоких Людей среди гротескных развалин.

- Вот, - сказал он, - и протянул Глэдис маленький прозрачный камень, - это осколок времени. Посмотри в него, и ты увидишь, каким этот великий город был когда-то!

Глэдис посмотрела и увидела город, каким он был, когда в нем жили Высокие Люди. Они ходили и, смеясь, творили сны, а также меняли реальность, как будто бы это была игра.

- Ничего себе! - воскликнула девочка.

- Мой учитель Корнелиус сказал, что я один из них, - продолжил Иллюзиус, - ведь я так же высок, как они и так же велик! Я могу создавать великие сны!

В следующее мгновение Глэдис увидела Санфилд и то, как дети гурьбой выбежали наружу, а там их ждали магазины полные сладостей и игрушек, где всё было бесплатно в неограниченном количестве. Они были счастливы и Глэдис видела, как они улыбаются во сне. А рядом с ними стояли эрлины и собирали их счастливые моменты.

- Видите, я дарю им радостные эмоции, а затем собираю их счастье для кого-то другого.

И Глэдис увидела стариков в бедно обставленном доме, которые мирно спали и наслаждались сном, где они снова молодые, танцуют и поют вместе со своей семьей.

- Я могу создать всё на свете, - продолжал Снотворец.

А Глэдис продолжала видеть мириады снов, рассыпающихся в мир разноцветным бисером.

- Однако этого недостаточно!

- Почему? - удивилась Глэдис.

Внезапно всё исчезло, и они снова оказались на крыше с часами, которые тикали без остановки. Иллюзиус стал невероятно грустным.

- Потому, - ответил он, - что я никогда не смогу разбудить её!

Он провел рукой по воздуху и перед ними появился длинный канат, идущий из ниоткуда в никуда, а на нем танцевала невероятно красивая хрустальная девушка.

- Учитель Корнелиус сказал, что я смогу стать истинным Снотворцем только тогда, когда создам самый великий по красоте сон, способный разбудить танцующую девушку на канате! Однако, что бы я ни делал, она не просыпается!

Глэдис смотрела на девушку, которая будто легкое перышко кружилась и танцевала на тонкой линии под никем не слышимую музыку. Иллюзиус будто завороженный следил за каждым её движением.

- Я верю, что ты можешь разбудить её, - сказала Глэдис, - ведь ты великий Снотворец! Ты должен победить Мортуса и остановить зло в мире!

- Нет, - покачал головой Иллюзиус, - я пытался много лет, но всё бесполезно.

И он снова сел в кресло глядя на неё, а Глэдис увидела в его глазах отблески мириадов снов, которые он создавал в эту самую минуту.

Внезапно Глэдис заметила, что Майя растворяется в воздухе. Затем она перевела взгляд на свои руки и увидела, что растворяется тоже. Это было странно, ведь до рассвета у них оставалось еще несколько часов. Она стала звать на помощь, но Иллюзиус был так увлечен танцем девушки на канате, что не услышал их. Они исчезли, а площадка с часами жизней растворилась, будто её и не было никогда.

Глава 5

Долина Забытых Снов

Когда Глэдис открыла глаза, то обнаружила, что находится посреди долины, наполненной разным хламом, которого было так много, что он горами тянулся до самого горизонта. Солнце палило беспощадно, сухая земля трескалась от одного прикосновения. Ей очень хотелось пить.

Рядом была маленькая девочка, однако Глэдис не могла вспомнить ни её, ни себя. Взяв её на руки, она отправилась вперед, в поисках воды. Они достигли озера, возле которого росли высокие деревья и кусты. Напившись вдоволь, они уселись на землю. Всё вокруг и маленькая девочка, казались Глэдис такими знакомыми, однако она не могла вспомнить ничего.

Внезапно вдалеке раздались крики.

- Помогите! Помогите! - кто-то барахтался в озере и звал на помощь.

Глэдис тут же кинулась в воду и помогла выбраться. Перед ней было существо совсем маленького роста. Оно тяжело дышало и кряхтело, схватившись за живот.

- Кто вы, мои спасители? - спросило оно, отдышавшись.

Но Глэдис не могла ответить, а Майя лепетала что-то непонятное.

- Аааа, - с пониманием сказало существо и покачало головой, - вас заколдовал Мортус и поместил в долину забытых снов.

- Мортус? - с удивлением спросила Глэдис, - кто это?

- Неважно - ответила она, - важно то, что я Трея, жительница долины забытых снов и я могу вам помочь. Многие считают, что однажды увиденные сны никому не нужны, но это не так.

И она шагнула вперед, сквозь завалы, поманив их за собой.

- Значит, всё это забытые сны? - оглядываясь вокруг спросила Глэдис.

- Да, - ответила Трея, - представь себе! Здесь ужас как много всего интересного!

Она остановилась возле одной горы и перед ними открылся вид на маленькое селение, где было множество таких же существ, как Трея. Все они были заняты работой и даже внимания не обратили на гостей.

- Мы собираем самые лучшие части старых снов и отправляем их мастеру Иллюзиусу, чтобы он создавал новые.

- Как интересно! - сказала Глэдис, - но не могла бы ты объяснить нам, кто мы и зачем здесь находимся?

- Как я и сказала, - ответила Трея, - вы помогли мне, значит и я помогу вам.

Они подошли к огромной груде обломков и Трея вытащила один из них.

- Ваша прошлая жизнь не более, чем старый сон, - сказала она, - теперь где-то валяется среди этого хлама. Вот посмотрите!

Глэдис и Майя посмотрели на обломок. Это был фрагмент их прошлой жизни, когда они гуляли и веселились вместе с родителями.

Трея достала еще один. Это был фрагмент их жизни в Санфилде. Она доставала всё новые и новые фрагменты. И внезапно девочки вспомнили всё.

- Как же быть?! - воскликнула Глэдис, - ведь рассвет приближается, а мы так и не смогли остановить Мортуса!

- Сделать это еще не удавалось никому, поэтому вам лучше поспешить и вернуться обратно домой, - махнула рукой Трея.

- Но мы не можем вернуться без Питера, - огорчилась Глэдис, - мы должны найти его, пока не поздно!

Девочка встала и из кармана её платья выпал прозрачный камень.

- Ничего себе, - воскликнула Трея, подняв его, - это же осколок времени! С его помощью можно увидеть любой момент не только своего, но и чужого прошлого.

- Тогда мы должны сейчас же выяснить, куда исчез Питер! - сказала Глэдис.

Все вместе они заглянули внутрь осколка и увидели мальчика. Он находился в огромном кривом строении в просторном зале. А рядом с ним был сам Мортус - огромный, уродливый, изогнувшийся дугой злой дух.

- Ты попал сюда не случайно, - говорил Мортус, - Я долго ждал приемника такого, как ты. Я сделаю тебя таким же могущественным как Иллюзиус, если ты станешь моим учеником!

И Глэдис с Майей с ужасом увидели, как Питер кивает в знак согласия.

- Посмотри, как прекрасно создавать ужасы и кошмары и как прекрасно разрушать!

И Мортус стал нагонять кошмары на детей Санфилда. Сначала это были пауки и насекомые, преследующие их, затем родители, которые ругали их без остановки, а потом стены приюта стали рушиться.

Мальчик смеялся и потирал руки. А Мортус подвел его к окну, за которым во тьме ночи выжидало великое множество злых призраков и духов.

- Я собрал огромную армию и вместе мы сегодня же победим Иллюзиуса, а ты будешь создавать ужасные кошмары для всех людей на свете. Со временем ты станешь даже могущественнее меня! Ты согласен?

И Питер снова кивнул.

- Если ты готов, то вот твое первое задание. Ты должен отправить свою сестру в долину забвения и никогда не сожалеть об этом!

- О нет! - воскликнула Глэдис, - это сделал Питер! Это он отправил нас сюда!

- Какой же злой мальчик, - сказала Трея.

И даже Майя неодобрительно покачала головой.

- Нет, вы совсем не знаете Питера, - возразила Глэдис, - в глубине души он очень-очень хороший!

- Тогда зачем он так поступил?

Но Глэдис и сама не знала. Она лишь вздохнула и встала.

- Мы должны сейчас же отправиться обратно к Иллюзиусу и предупредить его о планах Мортуса!

- А мы должны собрать как можно больше жителей мира снов, чтобы победить армию злых духов! - и с этими словами Трея поднялась на гору обломков и издала такой громкий клич, что её услышали во всех концах мира снов.

Вдалеке Глэдис увидела приближающиеся к ним дирижабли, вероятно собранные из обломков забытых снов. Они скрипели и кряхтели, но двигались вперед по воздуху и совсем скоро остановились возле девочек.

- Это дирижабли прошлого. Они отвезут вас обратно к Иллюзиусу, - сказала Трея, - и помогут задержать рассвет.

- Спасибо! - сказала Глэдис. Она взяла Майю на руки и поднялась на борт.

- Что бы ни происходило, не позволяйте Мортусу забрать у Иллюзиуса медальон Высоких Людей. Если он сделает это, то всё будет потеряно!

Глэдис кивнула. На борту её встретил улыбчивый капитан. В его глазах отражался опыт многих лет. Вероятно, он повидал многое на своем веку.

- Погода прекрасная, - сказал он, - на горизонте ни одного темного призрака!

Он закурил старую длинную трубку, а Майя издала веселый звук. И дирижабль поднялся в небо.

- Как вы можете быть таким спокойным, зная, что ждет нас впереди? - спросила Глэдис.

- В жизни, моя дорогая, всё как во сне, - сказал капитан, резко поворачивая руль, - а во сне всё как в жизни - за темной полосой неизбежно следует светлая! И ты не успеешь и глазом моргнуть, как мир перевернется с ног на голову или с головы на ноги.

И он остановился возле огромных часов, висящих прямо посреди неба. А затем вскочил на борт дирижабля и с усилием поднял стрелку.

- Ну же, помоги мне!

Глэдис присоединилась к нему.

- Играть со временем не шутки, - сказал капитан, - но мы с ним старые друзья, поэтому никто и не заметит, как я добавлю всего один лишний час к вечности, - он спрыгнул вниз и галантно протянул руку Глэдис, - для вас я задержал рассвет!

Они вновь двинулись вперед, рассекая тучи и объезжая радугу.

- Значит, вы верите в нашу победу?

- Видишь ли, - сказал капитан, - в мире снов, всё зависит от тебя, а в реальном мире, всё зависит от мира снов. Значит и в реальном мире всё зависит от тебя. А ты зависишь от мира снов. Главное не запутаться!

Глэдис подумала, что хорошо бы это записать, чтобы подумать об этом позже, но капитан продолжал.

- Как бы там ни было, я много путешествую и общаюсь с самыми разными пассажирами. Так вот однажды я перевозил целую толпу архиваторов снов. Уж эти ребята-то знают, что к чему и как. Так вот один из них сказал мне, что Иллюзиус и вправду потомок Высоких Людей, а Мортус это лишь часть его собственной силы, которую он не может взять под контроль. И если бы Корнелиус был жив, он бы сам сказал ему об этом.

- Почему же Иллюзиус не может этого сделать?

- Не знаю, - капитан пожал плечами, - возможно потому, что он слишком занят созданием идеального сна, которого и не существует. Его корабль движется к цели, которая, увы, слишком призрачна и непонятна.

Они причалили к площадке с часами. Девочки попрощались с капитаном, который отдал им честь, а затем резко повернул руль и скрылся в облаках.

Глава 6

Битва

Глэдис и Майя огляделись - они были одни. Они бродили по площадке с часами жизней, но не могли найти Иллюзиуса. А хрустальная девушка на канате продолжала танцевать под музыку, которую не слышал никто. Глэдис поймала себя на том, что не может оторвать от неё взгляда, так идеальны и просты были её движения. Но она вспомнила о надвигающейся битве и о брате, который попал в беду.

- Иллюзиус! - позвала Глэдис, - Иллюзиус!

Мастер Снов появился перед ней. Его огромные глаза были еще печальней, чем прежде.

- А, мои новые друзья, - сказал он, доставая из карманов часы и сверяя их с теми, что стояли повсюду на крыше.

- Мы пришли предупредить тебя, - взволнованно сказала Глэдис, - надвигается битва и Мортус собирается захватить власть над Миром Снов.

- Ох, как же я не люблю битвы, - ответил Иллюзиус и побледнев уселся в кресло, - я художник, человек искусства, и совсем ничего не понимаю в военных делах!

- Но ты должен постараться, ведь если Мортус победит, в мире не останется ни радости, ни света. Будет только тьма и кошмары! К рассвету мы превратимся в сны, а наш мир разрушиться окончательно!

Иллюзиус закрыл лицо руками.

- Значит, я должен создать идеальный сон как можно скорее!

И он поднялся, протянув руки к танцовщице и предлагая ей самые прекрасные из снов. Но она танцевала, как и прежде, не обращая на него внимания.

Глэдис подошла к краю площадки и увидела, что на горизонте собралась темная армия призраков и злых духов, готовящихся напасть в любую минуту. Но самое ужасное было то, что над ними всеми стоял Питер с карандашом в руках.

- Иллюзиус! Иллюзиус! - снова позвала девочка.

Он повернулся и, увидев армию, издал испуганный крик. Затем он поднял к глазам бинокль стал разглядывать её.

- Я вижу у твоего брата в руках карандаш желаний, - сказал он и протянул ей маленький карандашик, - я дам тебе такой же. Используй его, чтобы создавать всё, что захочешь! Возможно, тебе удастся удержать их, пока я создам самый идеальный из снов.

- Но что я должна делать? - спросила она.

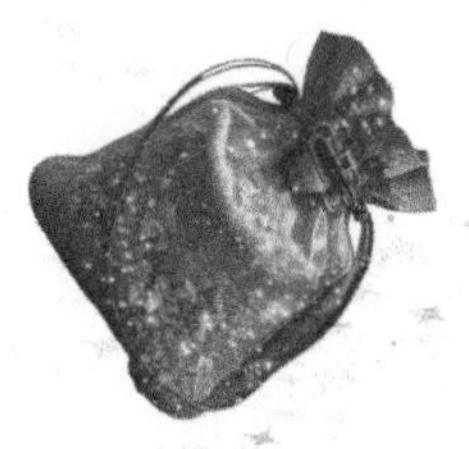

- Используй свое воображение! - ответил Снотворец.

Глэдис взяла карандаш и её руки задрожали. Ведь она никогда ничего не создавала. Но теперь, глядя на Иллюзиуса, который был занят созданием идеального сна, она понимала, что у неё не было выбора.

Девочка провела линию, затем еще одну, и еще, и у неё получилось! Чем больше она старалась, тем больше всего создавала. Прямо из воздуха появлялись все новые и новые существа, готовые их защищать. А затем к ним присоединилось множество жителей мира снов. Там были и Джоло с эрлинами, и Вариус с собирателями идей, и Трея с её народом из долины забытых снов. Все они готовы были защищать свой мир.

Вдалеке появился сам Мортус. Он дал знак, и битва началась. Призраки кружили, нагоняя кошмары и ужасы, но существа мира снов отражали их атаки.

А Глэдис с Питером соревновались друг с другом, рисуя все новые и новые преграды и существ, которые тут же бросались в атаку. Поначалу мальчик выигрывал, ведь он умел рисовать гораздо лучше Глэдис, но вскоре она так наловчилась, что легко отбивала любую из его атак.

Внезапно Мортус подошел к Питеру и сказал ему что-то. Мальчик ухмыльнулся и создал черное озеро, а Мортус наполнил его кошмарами. Озеро росло и увеличивалось в размерах, пока не достигло самого края башни часов жизни.

Один из призраков подлетел к Глэдис и столкнул её вниз. Но девочка успела ухватиться за край. Карандаш желаний улетел на дно, и она ничего не могла сделать. Только видела, как вдалеке смеется Питер. Однако в следующее мгновение мальчик поскользнулся и сам упал в самую глубь озера.

- Питер! - крикнула Глэдис и тут же нырнула за ним.

Её мгновенно окутали кошмары и ужасы. Она двигалась вперед в поисках брата, но увы, страх захватил её настолько, что она вот-вот готова была потерять сознание. Однако она достигла дна и схватила брата за руку. Мальчик открыл глаза. Внезапно, кто-то с силой вытащил их обоих наверх. Глэдис обернулась – это был Иллюзиус.

Он тут же иссушил озеро кошмаров и вступил в битву с Мортусом. Они нагоняли друг на друга самые невероятные сны.

- Питер! - позвала Глэдис, - Питер!

Несколько мгновений мальчик смотрел вперед стеклянным взглядом. В нем не было ни радости, ни света. Внезапно он очнулся и, увидев Глэдис, обнял её.

- Глэдис, - сказал он, всхлипывая, - Глэдис, я видел ужасные кошмары!

- Ничего, - ответила сестра, - это всего лишь сны.

- Я больше никогда не буду нагонять ужасы на других людей, - сказал он, - и, надеюсь, ты простишь меня за невежливость и за то, что я обижал тебя.

- Конечно, - сказала Глэдис, обнимая его, - но сейчас мы должны поспешить и помочь Иллюзиусу!

Они поднялись к башне часов жизней и увидели, что Мортус срывает с шеи Иллюзиуса медальон.

- О нет! - воскликнула Глэдис, - только не это!

Силы Иллюзиуса мгновенно иссякли, и он упал на землю без движения. Мортус захохотал, и битва остановилась. Все жители мира снов с ужасом посмотрели на него.

- Теперь мир снов принадлежит мне! - сказал злой дух, возвышаясь над ними.

Он надел медальон и повернулся к Питеру.

- Подойди ко мне, мой мальчик!

Но Питер замотал головой, взяв сестру за руку.

- Я больше никогда не буду делать то, что ты говоришь! - ответил он.

- Ах так! Ты выбрал неправильную сторону и поэтому никогда не вернешься в свой мир!

С этими словами Мортус окружил Питера призраками.

Иллюзиус лежал на земле без чувств. Мортус же ликовал, создавая ужасающие сны. Глэдис подбежала к Снотворцу и начала трясти его за плечи.

- Иллюзиус, проснись! - умоляла она, - ты потомок Высоких Людей и способен создавать великие сны даже без медальона!

Иллюзиус открыл глаза, однако они были полны отчаяния.

- Увы, я больше не способен ни на что, - ответил он.

- Это не так! - не теряла надежды Глэдис.

В этот момент случилось нечто неожиданно для всех. Маленькая Майя подняла камешек и кинула в хрустальную танцовщицу. Девушка замерла на мгновение, а затем разлетелась вдребезги.

- О нет! - воскликнул Иллюзиус так громко, что весь мир сотрясся от звука его голоса.

Снотворец поднял руки и все силы Мира Снов, как светлые, так и темные, стали стекаться к нему. Мортус вместе с армией призраков растворился и исчез. А всё вокруг залила бесконечная тьма, в которой остались только Глэдис, Питер и Майа. Только осколок времени был единственным источником света.

- Что происходит? - испуганно спросила Глэдис.

- Кажется я понял, - грустно сказал Питер, - из-за того, что мы и другие люди слишком часто ссорились, мир поглотила тьма. И теперь мы никогда не сможет вернуться обратно.

Глэдис вздохнула.

- Давай пообещаем, что больше никогда не будем ссориться и драться.

- Давай.

Дети обнялись.

- Как же нам сделать мир таким, каким он был прежде, - спросила Глэдис, - когда дома были папа и мама, а разрушений не было?

- Не знаю, - всхлипывая сказал Питер.

Майя же взяла в руки осколок времени и посмотрев в него издала радостный звук.

В нем отразились эрлины, те самые, которые посыпали детей звездной пылью. Среди них был и Джоло.

- Эрлины не спроста выбрали вас, - сказали он.

Питер и Глэдис переглянулись.

- Вы, как и другие дети мира, обладаете силой воображения способной менять реальность. И именно это требуется от вас сейчас. То, каким вы представите мир, таким он и станет.

Глэдис и Питер закрыли глаза.

- Давай представим, - сказал мальчик, - что разрушения в мире прекратились.

Они старались так сильно, что тьма вокруг стала светлеть.

- И еще, что мама и папа вернулись, - сказала Глэдис.

- И что хрустальная девушка на канате ожила, - сказал Питер.

- И что Тобо стал свободен.

- И что дети Санфилда вернулись к своим родителям.

И чем больше они представляли, тем светлее становилось вокруг. А Майя радостно хлопала в ладошки. И вскоре весь мир вокруг залился бесконечным светом. Из него появился Иллюзиус с прекрасной девушкой.

- Она ожила, - воскликнул Снотворец, - вы помогли мне овладеть силой Мортуса и вместе благодаря вашему воображению мы сможем создать новый мир.

С этими словами он взмахнул руками и вокруг создался огромный вихрь, из которого начала возникать новая прекрасная реальность. Раздался звон часов.

Питер и Глэдис посмотрели друг на друга.

- Рассвет, - сказал Питер, - он уже наступил.

Но не успела Глэдис ответить ему, как всё вокруг растворилось и они погрузились в глубокий сон.

Глава 7

Возвращение

Когда Глэдис открыла глаза, то обнаружила, что лежала в своей постели в их доме на Розовой улице. За окном только-только начинал поблескивать рассвет, а Питер и Майя крепко спали, уткнувшись носом в подушки.

- Значит, всё это мне приснилось, - потирая глаза сказала девочка.

Но внезапно мимо неё пронесся вихрь холодного воздуха, и она заметила что-то белое полупрозрачное. Это был Тобо, который больше не был прикован к цепи.

- Я свободен, - кричал он, - я свободен!

Питер проснулся, потер глаза и тут же замер, глядя на призрака.

- Тобо, как же я рада тебя видеть, - сказала Глэдис.

- Я свободен, - повторил дух, - и всё благодаря вам! Дети Санфилда вновь обрели своих родителей. А в мире Снов сейчас праздник! Мортус растворился и исчез, теперь всем управляет Иллюзиус и поговаривают, что в город Высоких Людей вернулись Снотворцы! Но самое удивительное то, что портал в Мир Снов теперь будет открыт каждую ночь! Так что приходите навестить нас, когда только захотите!

И с этими словами он умчался в последние мгновения ночи.

Дети радостно переглянулись. А когда они спустились в столовую, то увидели, что там их ждут родители. Папа делал гренки, а мама наливала чай.

- Мама, папа, - радостно закричал Питер, обнимая их.

А маленькая Майя запищала, хлопая в ладошки.

Но больше всех радовалась Глэдис, ведь она побывала в Мире Снов, повстречала там множество друзей и вернулась домой вместе с братом и сестрой невредимыми.

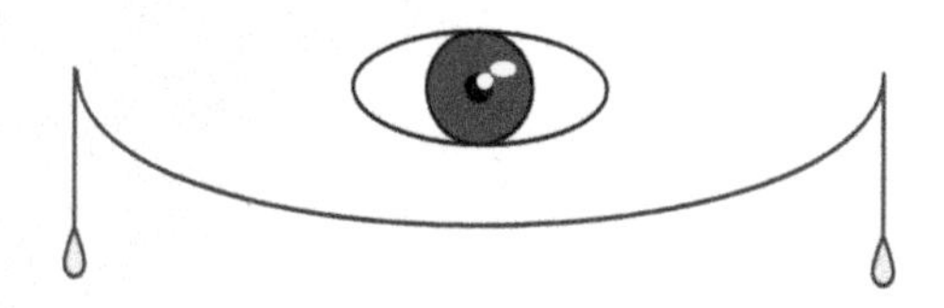

Спасибо что читаете книги нашего проекта!

Мы рады, что вы отправились с нами в незабываемое путешествие, в Сад счастливых историй и невероятных приключений!

На книжных полках нашего сайта есть электронные и аудио книги!

Скоро появятся комиксы и принты самых удивительных героев наших книг и историй!

Добро пожаловать!

Оставайтесь с нами!

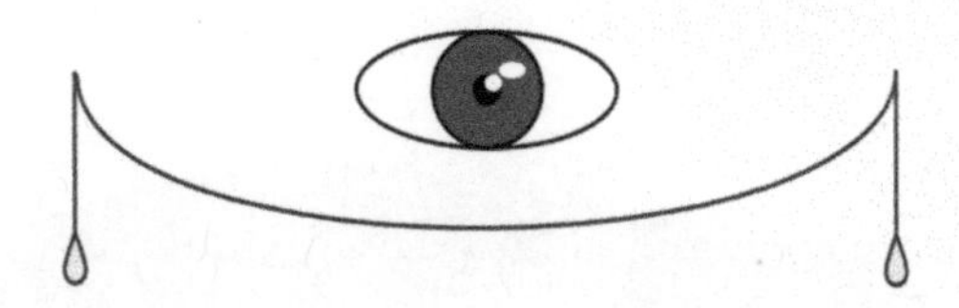

Published books of our project:

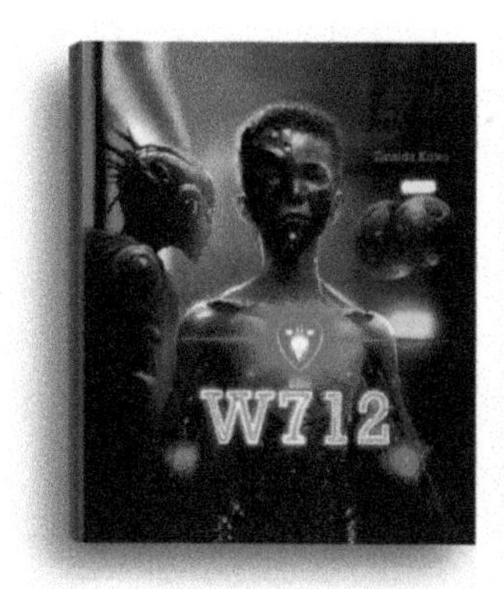
W712

DREAM WORLD
Zinaida Kirko

Zinaida Kirko
Dragon Island

Zinaida Kirko
Jackie's Adventures in the World of Letters
Victoria Harwood

About Anything and Everything
Book 1 from the series of books for children "One Hundred Bedtime Stories "

About Everything and Anything
Book 2 from the series of books for children "One Hundred Bedtime Stories "

The Isle called
PlooF
and other inhabitants of the ocean

Victoria Harwood
TRUE FRIENDS

WHO WILL I BE WHEN I GROW UP

THREE SHORT STORIES ABOUT
KINDNESS

THREE SHORT
ADVENTURE STORIES

THREE STORIES ABOUT
FRIENDSHIP

VICTORIA HARWOOD
ABOUT
FAIRIES

Victoria Harwood
THREE STORIES ABOUT
ANIMALS

DRAGONS

Your helper for everyday
The pocket Oracle
Victoria Harwood

Zinaida Kirko
THREE INCREDIBLE ADVENTURE STORIES

BLAME
THE
MONSTER!
Victoria Harwood

WELCOME TO
THE HAPPY STORY GARDEN

https://thehappystorygarden.co.uk

Milton Keynes UK
Ingram Content Group UK Ltd.
UKHW052340130524
442620UK00004B/7